6 • Un ange dans la neige

Un feuilleton de
BENOÎT BOUTHILLETTE

Illustrations de
GUILLAUME MACCABÉE

la courte échelle

6 • Un ange dans la neige

« Plutôt mourir
qu'accepter de subir les hivers
jusqu'au mois de mai »

Soleil | Tiré de l'album *Compter les corps* | 2006
Paroles : Guillaume Beauregard | Interprète : Vulgaires Machins

Vendredi 4 mars, 16 h 34, dans un corridor du cégep

Ouam dam dam ouadadou, c'est le temps des vacan-an-ces... Oh *yeah*. C'est la semaine de relâche. Je viens de terminer mon dernier examen, en philosophie, sur Simone de Beauvoir dont j'ai fait le portrait en Wonder Woman. « On ne naît pas femme : on le devient. » Mon prof est du genre à apprécier. J'espère.

On se trompe parfois sur les gens. Prenez celui qui chantait *C'est le temps des vacances*... C'est quoi son nom, déjà ? *Anyway*, c'était l'idole de ma grand-mère. Il est allé chanter à son centre d'hébergement, un jour, eh ben, il semblerait qu'il ne soit pas si gentil que ça. Autre leçon : sur le long chemin de la gloire, il faut toujours respecter son public, traiter avec déférence ceux qui nous ont mené là où on est. Tiens, j'aurais pu glisser ça, aussi, dans mon examen : Aretha Franklin et Simone de Beauvoir, même combat : *R-E-S-P-E-C-T*... Comme quoi la philo n'est jamais loin de la chanson pop.

C'est la semaine de relâche. J'en reviens pas. Presque la moitié de la session de faite. V'là Marilou qui sort de son exam de chimie, cartable en dessous du bras, le pas allègre comme si elle s'en allait jouer à la marelle. Elle porte un chandail rayé, des bas rayés et une jupe juste pour dire. Ses Doc Martens rouges rebondissent à cloche-pied, on se croirait dans *High School Musical*. Elle me prend par le bras, direction le café étudiant où nous attendent Félix et Emo avec la confirmation de notre location d'un chalet de ski pour une semaine.

INTERLOGUE

Vendredi 4 mars, seize heures trente-quatre, au café étudiant

Assis dans un coin sombre de la pièce, sous un haut-parleur, un jeune homme profitait du volume tonitruant de la musique pour couvrir la conversation qu'il tenait, avec la plus grande inquiétude, sur son téléphone cellulaire.

« Oui, j'ai bien pris livraison de la marchan-dise. Oui, monsieur. Très bien, monsieur. Dès que je le pourrai, monsieur. À bientôt, monsieur. »

Et au moment même où l'individu raccrochait, un couple d'amis, bras dessus, bras dessous, franchit le seuil du café. À l'autre extrémité de la salle, la porte donnant sur l'extérieur s'ouvrit sur une déferlante de lumière, encadrant la silhouette d'un jeune homme élancé qui semblait émerger du vent et être sculpté par lui.

Celui qui parlait à son cellulaire quelques instants auparavant eut un frisson qui le transperça jusqu'à la moelle.

Vendredi 4 mars, 16 h 35, au café étudiant

Les mots déboulent à cent milles à l'heure, comme si on était déjà en *downhill* sur une pente de ski.

Félix : Donc j'arrive au local de l'association étudiante...

Marilou : Est-ce qu'ils avaient bien fait la réservation ?

Emo : J'avais appelé pour m'en assurer, hier, avec la carte de crédit de mes parents.

Félix : La fille était super *cute*…

Marilou : On a-tu eu le chalet qu'on voulait ?

Emo : Oui, celui qui donne directement sur les pentes… On va l'avoir jusqu'au mardi suivant, pour ceux qui peuvent rester.

Moi : Cool.

Félix : Fait que je m'assois…

Marilou : Est-ce que Hope et Vlad ont confirmé qu'ils allaient venir nous rejoindre ?

Emo : Vlad va arriver jeudi. Hope vient nous rejoindre seulement vendredi, elle restera jusqu'à dimanche…

Félix : Elle est obligée de s'occuper de sa petite sœur, pour la fin de semaine. Ce qui veut dire qu'elle va devoir l'emmener avec elle.

Marilou (ravie) **:** Cool. (Puis après une millise-conde de réflexion.) Mais comment tu sais ça ?

Félix : Bah, on s'est e-mailé…

Moi : Cool…

Félix : Est-ce que la *Résistance-mobile* est prête ?

Marilou : T'inquiète pas pour ça, mon père s'en est chargé.

Moi : Cool.

Félix : Moi, je vais descendre avec l'auto de mon père. J'ai un détour à faire avant, pis la fille à l'association étudiante semblait dire que...

Marilou : Fait que, tout est setté ? On se revoit tous lundi soir prochain, pour les Francouvertes ?

Emo : Qu'est-ce que vous faites en fin de semaine ?

Félix : J'ai peut-être un rendez-vous avec la fille de l'association étudiante...

Marilou (regardant Emo) : J'vais peut-être passer chez toi, si t'es d'accord, pour aller chercher les planches et le matériel avec la camionnette... Comme ça, ça irait plus vite pour partir, mardi matin...

Emo : Cool...

Pourquoi j'ai un pincement au cœur, soudain, qui me dit que dans la façon qu'a Emo de regarder Marilou, il y a du pas cool pour moi ? Comme un froid, tout à coup.

Lᴜɴᴅɪ 7 ᴍᴀʀs, 20 ʜ, 5ᴇ sᴏɪʀᴇᴇ ᴅᴇs ᴘʀᴇ́ʟɪᴍɪɴᴀɪʀᴇs ᴅᴇs ꜰʀᴀɴ-
ᴄᴏᴜᴠᴇʀᴛᴇs, ᴀᴜ ʟɪᴏɴ ᴅ'ᴏʀ

La soirée commence avec une bande de filles qui s'appellent *Les Chiennes à Jacques.* Le premier véritable groupe de *shoegazing* québécois. Les filles sont belles et pas maquillées. Belles, parce que pas maquillées ? En tout cas, ça leur va bien. Des *grunge* coquettes, genre. Leur première chanson est un hommage à Lush et s'intitule *Douceur et lumière.*

Tu es ma raison d'être
L'être pour qui je perds la raison

Tu es mon serpent, ma pomme et ma lumière
Mon arbre, mon dieu vengeur, ma damnation

C'est bien parti. Suit un chanteur solo. Il s'appelle Richard Legrand. Cheveux rasés, pas de *dreads.* Je précise parce que le reggae qu'il joue semble sortir tout droit de Kingston, mais un Kingston visité par les Beatles.

Soirée d'automne

Vent monotone

Les sanglots longs

Des violons

Félix : Wow, un gars qui cite Verlaine dans une de ses chansons...

Je marche seul

Complètement seul

Cheveux au vent

Du temps d'avant

Moi : Il a vraiment une tête de bon jack...

Ce soir les Grâces

Goûtent à l'extase

Grâce aux garçons

Qui montent le son

C'est de la pop parfaite, rien de moins. Une guitare agile, des rimes fignolées, subtiles. Et en plus, il sait faire danser les filles. C'est sûr qu'il a mon vote.

S'avance ensuite une slammeuse du nom de Fabienne Marsaud. Pas mon genre. Pas la fille, non, c'est le slam auquel j'accroche pas. Je trouve toujours que ça fait un peu poésie poche. Des rimes approximatives, des jeux de mots faciles... La fille a l'air cool, style Lisbeth Salander dans *Millénium*, quand elle enfile un kangourou pour passer incognito. Elle est accompagnée d'une séquence préprogrammée, mais qui pourrait être interprétée par un violoncelle live. La première toune s'intitule *La perfection*.

Quand cinq heures ne suffisent /
À rédiger ta page
Qu'la bibliothécaire / Vient te trouver en nage
Que tu souffres, que tu prises /
Le tabac d'ta grand-mère
Ou les chemises de ton frère /
Rien ne va, c'est galère
Ces mecs-là, que tu croises / À la porte du métro
Qui te kiffent qui te toisent / Et que tu crois réglos
Ils promènent dans leur poche /
Une poudre d'escampette
Viens ma jolie approche /
On va te faire une jambette

REFRAIN :

Malade de perfection / J'use mes rêves à l'ouvrage

J'œuvre à ma perdition / J'implose sous ma rage

De ne pouvoir atteindre / Malgré tous mes efforts

Cet idéal à feindre /

Qui tue mon âme et mon corps

Tu te retrouves chez toi /

T'ouvres ton sac à surprises

Te délectes des heures /

Où tu souffres, où tu prises

Tous ces moments d'émoi /

Que tu captes sous ta plume

Et que ton répondeur /

Frappe comme une enclume

Tu es seule, vraie déesse / À la porte des cieux

Et des mondes apparaissent /

Sous ta plume, sous tes yeux

Qui voient tout, mais pourtant /

Ivre de leur caresse

Trompeurs et te mentant /

Des démons apparaissent

(REFRAIN)

La spirale, qui t'aspire / N'aura jamais de fin

Tu t'essouffles, tu te tires /

Verse le sang dans ton bain

Tous ceux que tu déçois / N'auront plus à souffrir

De ces quarts d'heures d'émoi /

Qui riment avec mourir

J'ai fini par me rendre / Jusqu'au bout de ma peine

Là où tes parents t'attendent /

Là où disparaît ta haine

J'ai fini par comprendre / Avant de disparaître

Qu'avant de penser te pendre /

La vraie beauté c'est : naître

Emo est sidéré.

Emo : Mais c'est donc ben fabuleux !

J'aime ça le voir époustouflé, épaté de même.

Emo : C'est tellement ça. La quête de la perfection. Pis la peur de ne pas y arriver...

Le regard comme ébloui qui se promène et semble chercher un point pour se fixer. Puis les sourcils inquiets, comme intrigués, mais qui hésitent.

Félix : T'es-tu correct ? T'as l'air bizarre...

Emo : C'est juste que j'essaie de faire le lien... Ça me touche, ce qu'elle dit, au début de la chanson. Moi aussi, ces temps-ci, j'ai de la misère à écrire...

Félix : Pis tu te dis que ça serait le fun de trouver un truc, toi aussi, pour t'inspirer.

Emo : La « poudre d'escampette » dont elle parle, est-ce que tu penses que...

C'est elle qui a gagné.

Vive les vacances. On est bien confortablement installés devant le feu de foyer, en train de chiller au chaud. Marilou et moi, on a déjà profité de nos deux premières heures de descente. Emo, lui, en a profité pour faire une sieste.

Félix arrive en tentant de faire crisser ses pneus dans la neige, au volant de la rutilante Chrysler Intrepid de son père et au bras d'une jeune fille toute shinée. On dépose nos chocolats chauds sur la table du salon pour aller leur ouvrir.

Marilou : T'arrives donc ben tard.

Félix : J'ai fait un détour par l'ASTROlab du Mont-Mégantic. J'ai un ami qui y travaille. Tenez, je vous présente Leeza.

Devant le *one-piece* griffé de la nymphette, Marilou et moi on se regarde en articulant l'un pour l'autre, en silence, moi « marketing », Marilou « communications ».

Félix : Leeza étudie en design de mode, plus précisément en stratégie de placement de produits.

Je jette un regard triomphant à Marilou. Un-zéro pour moi.

Leeza : Je me spécialise en aménagement de vitrines...

Je sens qu'on va s'entendre.

15 H, SUR LES PENTES DU MONT SUTTON

Marilou s'amuse à me pitcher des balles de neige. Emo nous rejoint en face de la cabane de service. Habillé tout de noir, évidemment. La grande classe.

Marilou (qui destine à Emo son obus suivant) : T'as l'air d'une pub de Kanuk !

Emo incline la tête. La balle de neige le rate de justesse.

Emo : Kanuk, c'est chaud, c'est fait au Québec, et on trouve tout dans la même boutique.

La salve suivante atteint notre ami en plein cœur. Entre les pans de son manteau ouvert viennent exploser des myriades de petits grumeaux neigeux. Emo prend note de l'offense.

Emo : Sache qu'on ne défie jamais impunément l'autorité du hibou arctique !

C'est vrai qu'à le voir partir à l'assaut de notre téméraire amie, qui va devoir goûter à pleines bouchées à la dernière bordée de neige, Emo a tout du harfang : la prestance, la noblesse. Mais un harfang noir, genre.

Premier matin à nous réveiller tous ensemble. Emo profite de l'absence de Leeza, qui monopolise le miroir des toilettes depuis une bonne demi-heure, pour se coucher sur le lit, à côté de Félix.

Emo : Qu'est-ce que t'es allé faire, au juste, au Mont-Mégantic ?

Félix : Fallait que j'aille consulter un ami à l'ASTROlab... Il travaille sur un procédé optique révolutionnaire. Couplé à n'importe quel télescope, ça permet de capter dix fois plus de lumière.

Moi, pendant ce temps-là, je fouille dans les affaires de Félix, juste pour le gosser. Félix n'est pas à l'aise avec le partage de son intimité. De son sac à dos tombe une photo vraiment *weird*. C'est l'image d'un œil de feu, genre Sauron dans *Le seigneur des anneaux.*

Moi : Qu'est-ce que c'est ?

Félix est visiblement très mal à l'aise.

Félix : C'est une photo du Soleil. Ça vient de l'ASTROlab. En fait, ce qui apparaît en noir, sur l'image, c'est une tache solaire...

Emo regarde la pupille sombre au centre de l'iris de feu, totalement émerveillé. Il ne semble pas voir ce que, moi, j'aperçois dans l'image : des crocs acérés qui émergent du magma. J'en ai un frisson.

Emo : C'est fascinant.
Félix : C'est une tempête qui vient tout juste d'apparaître à la surface du Soleil, après une phase étrangement calme de son cycle, et que les scientifiques ne s'expliquent toujours pas.

Pendant un instant, j'aurais pu jurer que la mosaïque d'explosions nucléaires bougeait sur le papier glacé. Je me tourne vers Emo : je le vois faire un clin d'œil à la photo.

On vient d'aller souper à l'auberge de la montagne. C'était rempli de touristes qui parlaient fort. On ne va pas quitter notre chalet souvent cette semaine, genre. Pour l'instant, on chille. J'ai mis ma casquette de Slipknot sous le capuchon de mon *hoodie*. Ça garde les cheveux détachés hors du visage, pis ça crée un genre de caverne où on est bien, où on se sent à l'abri.

Leeza : T'es pas pire, avec tes cheveux détachés.

Marilou : C'est vrai que ça te fait bien, arrangé de même.

Deux compliments coup sur coup… Je m'enfonce dans le sofa mou pis je bois une gorgée de bière pour couvrir mon sourire trop content.

❌ ❌ ❌ ❌ ❌

Marilou : Guillaume, essuie tes doigts, avant de toucher aux cartes !

On joue au poker. Poker qui, pour moi, rime avec crottes jaunes et Belle Gueule Pilsner. On joue sur la table en formica rose de la cuisine. Vlad est arrivé vers 20 h. J'suis pas pire au poker. Je bluffe pratiquement jamais, mais je sais pratiquement tout le temps quand les autres le font. Emo ne joue pas, il déteste les jeux de hasard.

Moi (sans grande conviction) : Mais c'est de la stratégie !
Emo : *Yeah, sure...* Va dire ça aux croupiers de Loto-Québec...

C'est Marilou qui se charge de passer les cartes depuis qu'elle a été éliminée dès le premier tour avec un *all-in* impétueux. Il ne reste que trois joueurs à la table : Vlad, Leeza et moi. Et Félix, qui sert d'ombre à Leeza. À vrai dire, il ne reste que Vlad et moi qui jouons, tant Leeza se couche tout le temps. Vladimir a été le *chip leader* pendant une bonne partie de la *game*, mais je finis par l'éliminer avec une *full* grâce à un as apparu à la *river*, alors que lui tenait une paire de rois. C'est ingrat, mais c'est comme ça.

Disposer ensuite des jetons de Leeza n'a été qu'une formalité, ce qui veut dire qu'à trois dollars la mise initiale, je me suis fait un gros vingt piastres (plus un dollar pour la *luck* à la charmante croupière).

Moi : C'est moi qui paye le Red Bull, demain matin, pour ceux qui m'accompagnent sur les pentes...

Leeza passe ses doigts dans la toison crépue de Félix.

Leeza : J'ai fini deuxième, c'est pas pire, non ?

Vlad et moi, on se regarde, effarés. Quoi ? C'est sa stratégie, ça ? Se coucher tout le long de la partie pour se contenter d'être éliminée la dernière et pouvoir prétendre avoir fini deuxième ? C'est un peu minable, non ?

Félix : Je suis fier de toi.

That's it. Bonne nuit tout le monde !

VENDREDI 11 MARS, 21 H, AU CHALET DU MONT SUTTON

Moins 38 °C dehors, on laisse tomber le ski de soirée. Hope est arrivée sur l'heure du souper. Sa petite sœur s'appelle Myriam et elle est vraiment charmante. Elle fait tout pour ne pas nous déranger. Elle passe la soirée à chatter sur son PSP. Nous, on s'improvise un YouTube party.

Le quart d'heure « charme absolu » de la soirée : Hope qui fait jouer *Dance Me to the End of Love*, de Leonard Cohen, dans ses deux versions : celle avec les vieux qui valsent et celle, que je préfère, qui ressemble aux *Ailes du désir*.

Le hit total de la soirée, de l'année, de la décennie : Étienne de Crécy et son cube lumineux !

Emo : Je l'ai vu à l'Usine C, dans le cadre du festival Elektra...

Vlad : C'était malade !

Le malaise de la soirée : Félix qui fait jouer *You Prefer Cocaine* de Vitalic, la version qui met en scène Kate Moss. Très, très dérangeant.

Emo : Je comprends pas l'idée de se coker...

Vlad : T'as jamais essayé ?

Emo : Non. Qu'est-ce que ça fait, au juste ?

Félix : Ça aide à trouver les mots. Il y en a qui s'en servent pour écrire...

Vlad : Ça rend volubile, en tout cas !

Vlad pointe Leeza, qui discute abondamment des nouvelles tendances de sacs à main avec Marilou, qui s'amuse à observer la mâchoire de son interlocutrice se balancer de tous bords, tous côtés.

Le *chairlift* m'a fait une poque sur le mollet en arrivant derrière moi. J'étais distrait, trop occupé à dépêtrer ma planche de celle de la petite sœur de Hope. On flotte assis dans les airs, sous un soleil radieux. Les pentes s'étirent sous nos pieds.

Myriam : Cool, ta planche.

Moi : *Thanks.*

Myriam : C'est une Arbor ?

Moi : Oui, la Element.

Myriam : Marilou a la Eden, elle. Pis Emo, la Draft.

Moi : Oui, c'est les parents de Emo qui nous les ont données à Noël, l'année passée.

Le cellulaire sonne dans la poche de Hope.

Hope (toute joyeuse) : *Ima* !

Myriam (pour moi) : *Ima*, ça veut dire maman, en hébreu.

Bribes de conversation entre Hope et sa mère, que Hope rassure.

Hope : Oui, *Ima*, Myriam est bien habillée. Non, elle n'aura pas froid.

Hope couvre le micro de son appareil.

Hope (murmurant pour sa sœur) : *Lovesh, lovesh...* (Puis, pour sa mère.) Oui, elle porte le foulard que tante Ida lui a tricoté... Oui, *Ima*, bisous, *laheim, laheim...*

Hope replie l'appareil, le replace dans sa poche, puis rabaisse la tuque péruvienne sur les yeux de sa sœur, pour l'embêter, en tirant sur les cordons.

Moi : Cool, la sonnerie de ton téléphone.
Hope : *Thanks.* C'est *Youth and Lust*, de Cold Cave. Je te ferai écouter, ce soir, au chalet.
Moi : Cool.

Sous nos pieds qui pendent au-dessus du vide, les planchistes laissent des sillons derrière eux dans la poudreuse. On dirait des traces de serpents dans le sable du désert.

✖ ✖ ✖ ✖ ✖

23 H 30, au chalet du mont sutton

Après une journée de planche – malade ! – et un souper de pâtes à la Félix, on se fait une soirée *Fuck the DJ*. Le principe : pour une fois, on met de côté la variété, on laisse tomber les listes de lecture, on choisit un seul album et on le fait jouer au complet. On booste le volume à fond. On vit et on danse. Ça peut être du rock, ça peut être du techno, l'important, c'est qu'on ait l'impression « d'y être », qu'on puisse s'oublier dans la musique. Ça a besoin de jouer fort, pour qu'on soit forcés de se pencher l'un vers l'autre si on veut se parler. Ça favorise les rapprochements.

Ce soir, quatre choix s'offrent à nous :

Marilou : Nirvana, *Nevermind* ?
Vlad : Saul Williams, *The Inevitable Rise and Liberation of Niggy Tardust* ?
Félix : Fuck Buttons, *Tarot Sport* ?
Hope : Cold Cave, *Love Comes Close*...

On ne connaît pas. On branche le iPod de Hope sur la base Bose SoundDock de Emo. C'est notre recette pour un party instantané : c'est compact, étonnamment puissant, ça accueille tout type de iPod, même le iPhone de Leeza, et le son est excellent. On écoute des extraits de Cold Cave. C'est le choix de Hope qui l'emporte, haut la main...

La musique embarque. Je consulte l'écran du iPod. La toune qui joue s'appelle *Hello Rats*. Des couples se forment sur la piste de danse. J'aime l'expression vieillotte « des couples *évoluent* sur la piste de danse », comme si on était en plein processus de ramification, de complexification de la vie... Félix et Leeza s'enlacent comme dans un slow des années 70. Hope, les yeux fermés, fait face à un Vlad qui danse comme pour une audition de *Bulgaria's Got Talent*. Marilou tire Emo par la main...

Marilou qui danse avec Emo. Qui parle à l'oreille de Emo. Qui le fait sourire. Emo qui bouge comme un dieu. Emo ne danse que pour lui, sans se soucier des autres. Il a l'air de Shiva. Marilou se déhanche. Emo lui sourit. Marilou sourit à son tour. Emo ferme les yeux et balance la tête. Marilou l'imite. Ils rouvrent les yeux ensemble. Tous les deux ont le même air, l'air de qui semble décidé à passer à l'action. Leurs visages se rapprochent. Marilou et Emo s'embrassent.

Marilou et Emo s'embrassent !

Marilou et Emo s'embrassent...

23 H 37, AU CHALET DU MONT SUTTON

Gel total de mes fonctions.

INTERLOGUE

SAMEDI 12 MARS, VINGT-TROIS HEURES TRENTE-HUIT, DANS LE HALL D'UN BUREAU AU SOMMET DE LA PLACE VILLE-MARIE

La statue de marbre avait trois mètres de haut et représentait un homme assis. Son regard impitoyable faisait face à l'ascenseur et, en dépit de son imposante masse, le corps sculpté dans la pierre semblait prêt à bondir. Les quatre jeunes visiteurs qui contemplaient l'œuvre, saisis de stupeur, avaient l'impression qu'elle allait se précipiter vers eux.

Derrière le comptoir de réception prenait place un homme à la peau mate, du noir brûlé du désert, pourvu d'une musculature sidérante. La largeur de son cou excédait aisément trois fois celle d'un humain normal. D'un ton guttural, le cerbère intima aux quatre jeunes hommes l'ordre de bien vouloir patienter. Ils se soumirent en silence à l'attente, dominés par la statue.

Une femme sans âge vêtue de rouge apparut, venant quérir les quatre visiteurs pour les mener au lieu de leur rendez-vous. Elle n'eut d'autre choix, devant le spectacle de leur ahurissement mêlé de crainte, face au regard de pierre de la statue, que de briser leur léthargie.

— C'est le *Moïse* de Michel-Ange.

Celui des quatre individus qui semblait le moins inculte se tourna vers la femme aux charmes troublants pour lui demander :

— Mais, le *Moïse* de Michel-Ange ne regarde-t-il pas les spectateurs de côté, et non de face ?

La femme toisa son interlocuteur avec un sourire ravi.

— Vous avez en partie raison. La *seconde* version de la statue se présente ainsi, mais ce n'était pas le cas à l'origine... Vous devez être Angel, si je ne m'abuse ?

Et avant que le jeune esthète n'eût pu acquiescer, un autre membre du groupe émit un râle évoquant le cri plaintif du dernier-né d'une portée de hyènes.

— Mais, madame, si ça c'est Moïse, alors c'est quoi les deux cornes qui lui sortent de la tête ?

Sans desserrer les mâchoires, la fidèle acolyte retint un haut-le-corps avant de répondre à l'importun.

— Et vous devez être Claude Gosselin... Ces « cornes », comme vous les appelez, sont en fait la représentation des rayons de la divine lumière.

Les quatre spectateurs n'auraient su dire si ces « rayons » émanaient de la figure de Moïse ou si, à l'instar de flèches immenses, ils n'étaient pas tombés du ciel pour lui perforer le crâne.

SAMEDI 12 MARS, 23 H 40, AU CHALET DU MONT SUTTON

Je décide de m'organiser un concours de *binge drinking* pour moi tout seul. Je me pitche dans la cuisine, je prends la première bouteille qui traîne sur le comptoir, en fait j'ai le choix entre de la Absolut Citron pis du Jägermeister ; j'aurais pu tomber pire. J'agrippe la vodka par le goulot, et je cale.

Pis je cale.

Pathétique.

Triste, et pathétique.

INTERLOGUE

C'était la furie la plus totale. Tant dans les yeux du magnat de l'industrie, lorsqu'il fit pivoter son fauteuil présidentiel en direction de ses invités, que dans la musique répercutée par les nombreux haut-parleurs qui ceinturaient la pièce.

Les quatre jeunes hommes, estomaqués par la fureur ambiante, prirent place sur les sièges disposés face au bureau du dirigeant courroucé. La musique s'insinuait en eux, y poursuivant son œuvre de destruction. C'était l'écho des catacombes, de la peur primordiale. Lorsque l'Homme au sourire carnassier prit enfin la parole, ses propos eurent la violence du plus dévastateur des incendies.

— Vous êtes des incapables !

✖ ✖ ✖ ✖ ✖

Une minute quarante-huit secondes et seize onces de vodka plus tard, je pose la bouteille vide sur le comptoir, bruyamment, comme si elle pesait une tonne. Je tousse à m'en arracher les poumons. Je m'étouffe.

Mal de cœur instantané. Vertige. Baisse de pression. Je fais dur en estie.

Mais, dans un quart d'heure, je ne ressentirai plus rien.

Le *mood* de la musique change. Des *beats* de synthés embarquent.

Je me redresse en reprenant mon souffle. Je m'essuie la bouche avec le coin de ma manche. Je survis aux premiers étourdissements. Demain, je sais que je vais me dégoûter. Mais demain sera un autre jour. Pour l'instant, je savoure la douce brûlure de l'alcool, la douce amertume des veilles de lendemains de veilles.

Hope vient me rejoindre dans la cuisine.

Hope : Ah, t'es là... (Et, pointant en direction de la musique.) Tu vois ? C'est la toune dont je te parlais, cet après-midi... (Puis, devant mon silence ahuri.) Tu te souviens ? Dans le *chairlift*, la sonnerie de mon téléphone...

Moi : Ah, oui, ça me revient...

Back to reality, mon grand.

Moi : Ça s'appelle comment, déjà ?

Hope : *Youth and Lust*...

Moi (pour faire l'intéressant) : Qu'est-ce que la jeunesse a à voir avec la luxure ? Je pensais que c'était une affaire de vieux...

Hope : *Lust,* ça peut vouloir dire désir...

Je vois dans les yeux de Hope qu'elle s'attend peut-être à une réponse... Pendant que je ne réponds rien, la musique continue. Qu'est-ce qu'il dit, le chanteur ? « *I had no ticket, black hole, with no strings attached* » ?

Je ne comprends rien.

Hope : *Lust*, ça peut aussi vouloir dire rage. Ou soif, comme dans « soif de vivre »…

Moi : Je pense que, côté soif, j'ai assez donné pour ce soir, j'vas passer mon tour…

Je ne rajoute rien. Hope se tient là, devant moi, les mains jointes au bout de ses longs bras, les doigts croisés. Je sens, dans son attitude, qu'elle est en attente de quelque chose, qu'il y a quelque chose que je rate.

Wo. La toune, tantôt, qui s'appelait *Hello Rats*, pis là, le fait que je « rate » quelque chose, pis demain toute la bile emmagasinée qui va me faire exploser la « rate »… C'est-tu moi ou on est comme en plein réseau sémantique ? À moins que ce soit l'alcool qui m'aide à faire des liens ?

Ou qui m'empêche d'en faire…

Je sens Hope exaspérée.

Hope : Bon, je pense qu'il est temps que j'aille me coucher, bonne nuit.

Juste quand elle va tourner les talons, elle remarque quelque chose qui sort de la poche de mon *hoodie*.

Hope : Qu'est-ce que c'est ?

Elle tire sur le bout qui dépasse. La ficelle devient fil, puis s'élargit et devient corde...

Moi : On dirait un câble en caoutchouc, ou peut-être...
Hope : On dirait...

La nature de l'objet nous frappe en même temps. Hope le laisse échapper, horrifiée.

Moi : Une queue de rat...
Hope : Mais c'est donc ben dégueu !

Hope et moi, on est sûrs que, cette nuit, on va partager les mêmes cauchemars.

Dimanche 13 mars, 13 h 15, dans le stationnement du mont Sutton

J'ai aidé Hope à fixer ses skis sur le toit de sa voiture. Elle est partie, comme triste. Sa petite sœur m'envoie la main, par la vitre arrière de la voiture, en agitant la patte de son toutou bübü que je lui ai redonné. Ça me fait comme un vide.

14 h 15, au chalet du mont Sutton

J'suis évaché sur le divan carreauté du salon, tout seul. Les autres sont partis faire de la planche en couples. Même Vlad a rencontré une fille sur les pentes, cet avant-midi. Je pitonne sur la télé plate. J'ai décidé de rien foutre. Je n'ai plus le cœur à rien.

J'ai pas cherché à croiser Emo ou Marilou, ce matin, en me levant. Gueule de bois, mal de bloc : on aurait pu ramasser les petits cubes de mon moral en pièces pour les empiler pis épeler « loser » avec. Joke plate. Vie plate.

J'en veux à personne. Je suis le seul responsable. C'est moi le seul coupable.

J'en veux pas à Emo. Il pouvait pas savoir. J'allais quand même pas m'asseoir un soir avec lui et lui dire : « Checke, *man*, la fille sur qui je capote, ben, tu le sais peut-être pas, mais elle trippe sur toi, fait que, qu'est-ce qu'on fait avec ça ? »

Je peux pas en vouloir non plus à Marilou. Elle a jamais cherché à m'en faire accroire. Je suis quand même celui à qui elle vient confier ses amours impossibles, c'est pas comme si j'avais pas été prévenu.

Pis, surtout, ça me saute soudain en pleine face : est-ce que Marilou sait seulement ce que j'éprouve pour elle ?

Est-ce qu'une seule fois j'ai cherché à faire allusion à mes sentiments envers elle ? À lui en faire part ? J'ai beau chercher, je pense que non.

Mais tu vis dans quelle bulle, Guillaume ?

Tu penses quoi ? Que tu partages une Fin du monde, l'épaule collée sur celle d'une fille, pis que, *that's it*, ça suffit pour qu'elle comprenne que tu voudrais finir tes jours comme ça, avec elle ?

Qu'à force d'être un bon gars, tu vas finir par devenir *le* bon gars ?

Non, Guillaume. C'est pas comme ça que ça marche. Si tu n'as rien dit avant, après, une fois qu'il est trop tard, tu fermes ta gueule aussi.

Fait que c'est ça que j'vais faire. J'vais faire ce que je fais toujours. J'vais me taire.

LUNDI 14 MARS, 23 H 50, AU CHALET DU MONT SUTTON

Les Triplettes de Laval nous skypent leur compte-rendu de la sixième soirée des préliminaires des Francouvertes, qui a eu lieu ce soir même, au Lion d'Or. On est tous assis autour du *laptop* de Félix, dans le salon.

Le premier participant, Jonathan Prince. Une chanson dédiée à son père, un sportif célèbre pour son tempérament colérique et qui le forçait, enfant, à suivre la même voie que lui. Ça s'intitule *Les liens du cœur*.

Ce que tu me fis
Tu peux pas savoir
Car c'est dur de voir
Je le ressens aussi, je le ressens aussi

Ce que tu me fis
Me casse dans ton leurre
Je pleure toutes ces heures
Ma vraie vie je nie, ma vraie vie je nie

C'est vraiment pathétique. *Next.*

Ensuite, c'est au tour de *Harry Potteux et ses Champignons Magiques.* Le genre de gars à toujours arriver en retard. Une musique aux accents d'ailleurs, un propos débridé, des fables et de la bonhomie. Une attitude m'as-tu-vu qui plaît aux foules, un petit côté irrévérencieux, comme dans leur chanson *Pensée magique*, où ils blastent les z'ésotériques.

Ouvre les portes de ton esprit

Allez ma biche, viens dans ma grange

Laisse tomber Saint-Exupéry

Que je t'inculque la Bible des anges

Bourrage de crânes, bourrage de crânes

Mon âne s'appelle Robillard

Fourrage de crânes, fourrage de crânes

Attelle ton bœuf, y'en a marre

Mais le groupe qui a remporté la victoire, ce soir, c'est le dernier en lice, Les Frères Lumière. L'éclairage se tamise dans la salle. Un écran double s'allume au milieu de la scène. D'un côté, une série de points lumineux, seize par seize, apparaissent. De l'autre, une espèce d'écran tactile sur lequel, sous des doigts, se promènent des éclairs d'orage. À l'avant-scène, deux musiciens, l'un qui joue du Tenori-on et l'autre de la guitare Misa Digital. Ce qu'on voit projeté derrière le duo est en fait la retransmission des motifs que dessinent leurs instruments. Bienvenue en 2020 ! La musique est tellement hallucinante et innovatrice que même sans paroles ça aurait mérité de gagner. C'est déclamé, récité, impersonnel et pourtant touchant.

Toi qui la nuit dors

Le jour n'as sommeil

Cherche en vain dehors

Qui sur ta vie veille

Merci les Triplettes. Vous êtes des anges. Bonne nuit.

MARDI 15 MARS, 16 H 30, À L'EXTÉRIEUR DU CHALET AU MONT SUTTON

Je cherche mon iPod sur le plancher de la *Résistance-mobile*. Il a dû tomber de mes poches, en s'en venant. De l'extérieur, je capte une conversation vraiment bizarre. Emo a raccompagné Félix et Leeza à leur voiture.

Leeza : Pourquoi t'embarques pas avec nous ?

Emo : Non, je préfère aider Marilou à ranger le stock.

L'allusion me paralyse un instant. Je me répète : « Emo ne savait pas, Guillaume, Emo ne savait pas. » Puis, je me relève juste assez pour pouvoir jeter un regard d'espion par la vitre de la portière avant. Je dois avoir l'air soit d'une marmotte un 2 février, soit d'un ti-cul de *La guerre des tuques*. Je vois Leeza, déjà installée sur son siège, qui retouche son maquillage dans le miroir du pare-soleil rabattu.

Félix : Tiens, il nous reste ça, de notre fin de semaine, à Leeza et à moi...

Félix tend le poing vers la paume ouverte de Emo.

Emo : Qu'est-ce que c'est ?

Félix déplie discrètement les doigts, s'assurant que personne autour ne l'observe, et laisse glisser le contenu de sa main dans celle de Emo.

Félix : Tu disais que t'avais de la misère à écrire, récemment ?

Emo semble trop désemparé pour savoir quoi répondre.

Félix : Essaie ça. Je pense que ça va t'aider.

Emo replie la main sur un petit sachet de plastique rouge.

Je me secoue. Rouge ? T'es sûr, que tu le vois rouge, mon daltonien ? Oui. Rouge sang.

> « Aussi bien se l'admettre
> Le monde va brûler vif
> On est déjà morts »

Soleil | Tiré de l'album *Compter les corps* | 2006
Paroles : Guillaume Beauregard | Interprète : Vulgaires Machins

21 H 30, SUR L'AUTOROUTE 10, EN DIRECTION DE MONTRÉAL

On roule dans la *Résistance-mobile,* en direction de Montréal. Le silence règne dans la camionnette. Dehors, la nuit est bien installée, les pylônes d'Hydro-Québec de chaque côté de la route ont l'air de potences ou d'échafauds, je sais jamais quel mot on doit employer. Je ne suis pas capable de m'enlever de la tête la dernière image que je vais garder de notre séjour à Sutton. En partant, je me suis retourné pour regarder par la vitre arrière de notre van les canons à neige qui remblayaient les pistes ravagées par les skieurs. Plutôt que de voir la brume habituelle former un halo autour de la montagne, j'ai vu la montagne qui prenait en feu ! Ce n'était plus des particules de neige artificielle qui formaient un brouillard au sommet de la colline, c'était d'immenses colonnes de fumée qui s'élevaient de ses flancs ! La lumière des spots allumés pour éclairer les pistes était éclipsée par celle du brasier qui partait caresser le ciel.

Marilou : Hey, le malade ! Tu vois pas que je peux pas me tasser ? Il y a quelqu'un dans la voie de droite !

Marilou s'adresse, dans le rétroviseur, au moron en 4 x 4 qui nous colle dans le derrière avec ses phares sur les hautes pour nous faire signe qu'il veut nous dépasser. L'avant-bras de Emo effleure celui de Marilou lorsqu'il l'étire pour appuyer sur le bouton des *hazard*, juste le temps de quelques clignotements, pour signifier au gars derrière nous de prendre ses distances.

La manœuvre a l'effet inverse de celui escompté. Plutôt que de ralentir, le 4 x 4 se rapproche encore de nos portières arrière. Ses grilles nous frôlent. L'habitacle de la *Résistance-mobile* est submergé par la lumière des phares. J'essaie d'apercevoir le visage du tata qui nous suit et, par-delà l'éclat aveuglant des spots, je pourrais jurer que je reconnais le visage qui s'est penché sur moi, le soir où j'ai cru voir la vitre de ma chambre exploser. J'ai tout juste le temps de me retourner pour capter un dernier regard paniqué de Marilou dans le rétroviseur, avant que le 4 x 4 nous percute. Sur la chaussée, devant nous, y'avait une plaque de glace... Ça laisse pas de chance.

On capote. On renverse. On roule dans le fossé.

Quand je me réveille, le corps de Marilou est étendu, loin de moi, dans la neige, projeté par l'impact. Je rampe à travers les herbes folles pour me rapprocher d'elle. Le champ est balayé par la poudrerie. Quand je la rejoins, ses bras sont comme désarticulés. Dans sa chute, ils ont comme tracé des ailes, autour d'elle. Comme quand on était petits et qu'on dessinait des anges dans la neige.

Ou qu'on jouait à être mort.

Le ver est dans le fruit.
Amour toujours,
limites, danger.
Les rires se figent
dans un vertige.

EN VENTE PARTOUT
LE **II** OCTOBRE **2010**

⊗ LES PAROLES DE CHANSONS OU LES EXTRAITS DE LIVRES CITÉS SONT TIRÉS DES ŒUVRES SUIVANTES :

p. 39 : Extrait de la chanson *Youth and Lust* tirée de l'album *Love Comes Close*, paroles de Wesley Eisold, interprétée par Cold Cave.

Venez échanger avec Benoît Bouthillette !

LA DISCUSSION DE L'HEURE :
As-tu déjà eu un *kick* sur une personne amoureuse de ton (ta) meilleur(e) ami(e)?

Les éditions de la courte échelle inc.
5243, boul. Saint-Laurent
Montréal (Québec) H2T 1S4
www.courteechelle.com

Révision : Julie-Jeanne Roy
Direction artistique : Mathieu Lavoie et Bartek Walczak

Dépôt légal, 3e trimestre 2010
Bibliothèque nationale du Québec

La courte échelle reconnaît l'aide financière du gouvernement du Canada par
l'entremise du Fonds du livre du Canada pour ses activités d'édition. La courte échelle
est aussi inscrite au programme de subvention globale du Conseil des Arts du Canada
et reçoit l'appui du gouvernement du Québec par l'intermédiaire de la SODEC.

La courte échelle bénéficie également du Programme de crédit d'impôt pour l'édition
de livres — Gestion SODEC — du gouvernement du Québec.

L'auteur tient à remercier le Conseil des arts et des lettres du Québec pour son appui
financier.

Catalogage avant publication de Bibliothèque et Archives nationales du Québec et
Bibliothèque et Archives Canada

Bouthillette, Benoit

        Un ange dans la neige

        (Emo ; épisode 6)
        (Epizzod)

        Pour les jeunes de 13 ans et plus.

        ISBN 978-2-89021-975-5

        I. Maccabée, Guillaume. II. Titre. III. Collection: Epizzod.

PS8603.O964A75 2010   jC843'.6   C2010-941019-X
PS9603.O964A75 2010

Imprimé au Canada